寺村輝夫　永井郁子

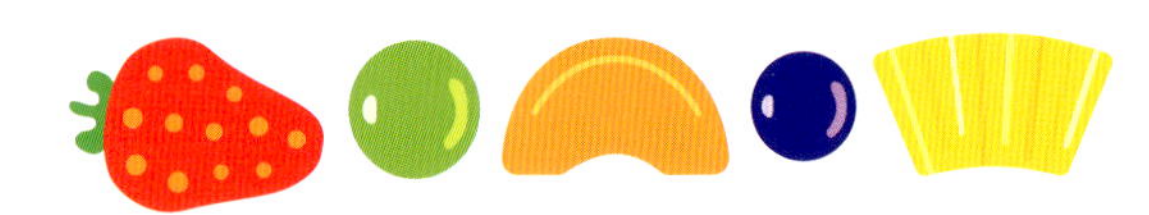

ざいりょうはそろったわね。
キッチンにいってエプロンをつけたら、
あなたは、 かわいいパティシエさん。

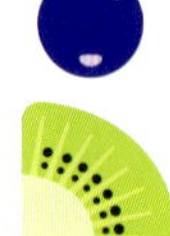

世界にひとつだけの
あなたのケーキができあがるわ。
きょうのティータイムは、
ふんわりきぶんで…。

もくじ

手をよくあらってから、はじめましょう。
ほうちょうや火を使(つか)うときは、大人(おとな)といっしょにやりましょう。

わかったさんの
ホットケーキ

ヤッタ研究所（けんきゅうじょ）で、るすばんをしていたら、

わかったさんが、もうひとりあらわれて、なんとふたりに。

みんなのために、ホットケーキをやいたのだが…

「わかったさん。なにをぼやぼやしているの？

　はやく、けしゴムのけずりかすを、10グラム、こしらえてよ。」

「え？　なんのこと。」

「あんた、どんなよごれやしみでも

　おとせるくすり、作りたいんでしょ。」

しばらくすると、あぶくのようなものが、
ふくらんできました。
その、あぶくが、うたうのです。

フツ　フツ　ホワーン
ゆうれいの　がいこつ
くらげの　ろっこつ
クフー　パフッ　ペ

フツ　フツ　ホワーン
けしゴムの　かすが
たまごを　うんだ
クフー　パフッ　ペ

ほかほか ふんわり

ホットケーキの作り方

生地を 作ります——

1 たまごを わって、
ボウルに 入れ
あわだてきで
よく ほぐします。
ほぐれればよいので
あわだてないこと。

2 ぎゅうにゅうを
少しずつ くわえながら
1の たまごを
のばします。

3 ホットケーキ・ミックスを くわえて、
だま（粉のかたまり）が
のこらないように、
よく まぜあわせます。

＊フライパンか ホットプレートを じゅんびします。
ホットプレートだと いちどにたくさん やけるので べんり。

ようい するざいりょう（6まい分）

◯ホットケーキ・ミックス	200g
◯たまご	1こ
◯ぎゅうにゅう（1カップ）	200cc
◯バター	少々

やきます——

4

フライパンで やくとき

バターを 弱火で とかして 広げます。
しばらくして フライパンが あたたまったら
いちど 火から おろして、ぬれたふきんの上に
ジュッと おいて、ホットケーキの生地を
4分の1ほど まるくながしこみます。
そのまま弱火で ゆっくり やきます。

ホットプレートで やくとき

ホットプレートの目もりを ホットケーキの
温度（中温よりやや低め）にあわせて
5分ほど あたためます。
バターを うすく プレートに ぬって、
ホットケーキの生地を
まるくながしこんで やきます。

5

表面(ひょうめん)に　プツプツと　あぶくが　たってきたら
フライがえしで　はずみをつけて
うらがえし　2〜3分　やきます。

＊やくときに、バターを　ひきすぎないように！
表面が　ムラになって　きれいなやき色が
つきません。水を　少しおとすと　コロコロと
玉になって　ころがるくらいが　おすすめ。

＊バターのかわりに　あぶらを　つかうときは、
生地を入れるまえに　かみで　ふきとってください。

手作りホットケーキの生地

ホットケーキ・ミックスを　つかわない　じぶんだけの
オリジナル ホットケーキを　作ってみよう！

1 ボウルに　バターを
入れて、
木べらで　ねって
やわらかくします。

2 さとうと　しおを　くわえて バターと
よく　あわせます。

3 といたたまごを　少しずつ
くわえながらまぜて、生地を
やわらかく　のばします。

4 ぎゅうにゅうを　少しあたためて、
3の　ボウルに　2〜3回にわけて
入れ、よく　まぜあわせます。

ときたまご
しお
さとう
バター

5 4の　ボウルに、はかっておいた　小麦粉(こむぎこ)と　ベーキングパウダーを
ふるいにかけながら　いちどにくわえて、
さっくりと　あわせれば、ホットケーキの生地の
できあがり。あとは　やくだけ。

ようい するざいりょう（4まい分）

○小麦粉	150g
○ベーキングパウダー	10g
○バター	25g
○さとう	20g
○しお	少々
○たまご	1こ
○ぎゅうにゅう	150cc

しっとり ふっくら

まっちゃどらやきの作り方

ようい する ざいりょう（5こ分）	
◯さとう（上白とう）	100g
◯たまご	2こ
◯ぎゅうにゅう	50ml
◯しょうゆ	小さじ1
◯みりん	大さじ1
◯はちみつ	大さじ1
◯小麦粉（はくりき粉）	150g
◯ベーキングパウダー	5g
◯まっちゃ	大さじ1
◯イチゴ	5こ
◯あんこ	すきなだけ

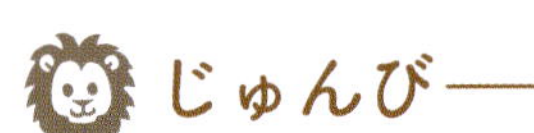

じゅんび

1 小麦粉（こむぎこ）と
ベーキングパウダー、
まっちゃを　あわせて
ふるいで
ふるっておきます。

生地を 作ります

2 たまごを　わって、ボウルに　入れ
あわだてきで　よく　ほぐします。しろみと
きみが　きれいに　まざったら、さとうを
入れ、よく　まぜます。 そこに、
ぎゅうにゅう、しょうゆ、みりん、はちみつを
くわえ　よく　まぜあわせます。

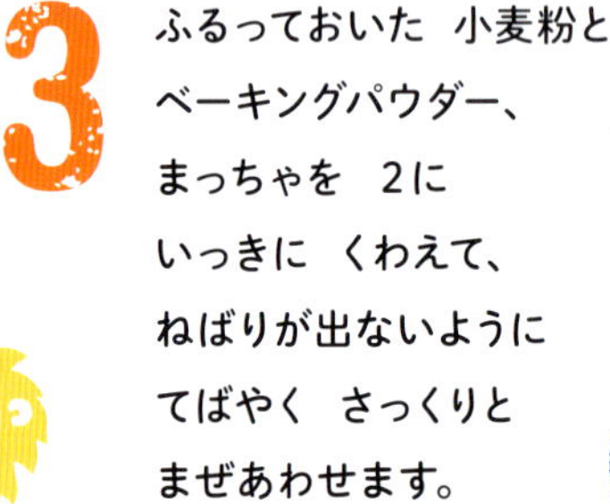

3 ふるっておいた　小麦粉と
ベーキングパウダー、
まっちゃを　2に
いっきに　くわえて、
ねばりが出ないように
てばやく　さっくりと
まぜあわせます。

やきます

※フライパンか　ホットプレートを　じゅんびします。
ホットプレートで　やくときは、
170度（ど）に　あたためておきます。
フライパンで　やくときは　弱火で　やきます。

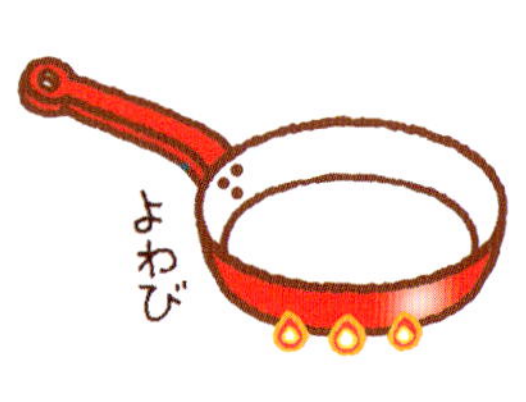

4
どらやきの生地を
8cmくらいに
まるく
ながしこんで
やきます。

5
表面ぜんたいに　あわが
ういてきたら、フライがえしで
うらがえし　うらも　やきます。
やきあがったら　さまします。

しあげます

6
生地が　さめたら、5まいに　スプーンで　あんこを　のせます。
その上に　ヘタをとったイチゴを
のせて、もういちまいの
生地を　あわせます。
ひとつひとつ　ラップで　くるんで、　つぎの日まで　やすませると、
おいしく　いただけます！　やすませるときは、
かたくならないように　冷蔵庫に
入れないで　ほぞんしましょう。

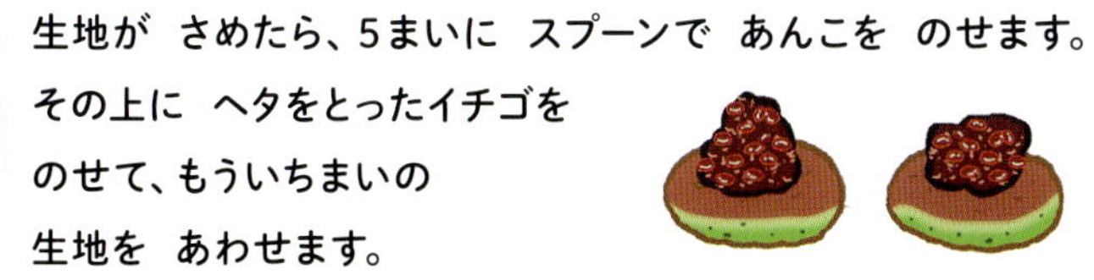

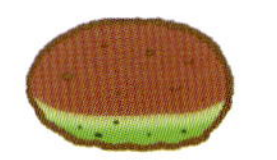

「できたよお。あたらしい
えきたいホットケーキ・ミックスだ。
そのままフライパンに
ながしこめばいいんだ。
ミルクも、たまごもいらない。
……どう？　たべてみてくれないか。
そして、いけんをきかせてくれ。」

わかったさんの ショートケーキ

クリスマス・イブ、わかったさんの車は、ふしぎの国(くに)にまよいこんだ。

小ゾウのぬいぐるみが、ショートケーキのざいりょうをくれたので、

白ひげのおじいさんの、てつだいをすることに…

ほっとした、わかったさんの目に、むこうぎしの、
おしろが見えました。
小さいけれど、石づくりの、がんじょうそうなおしろでした。

あかるくなったへやの中には、あやしげな
きかいが、ごちゃごちゃならんでいて、
でんせんが、くものすのように、
はりめぐらされていました。
「わかったさん。いよいよ、
ショートケーキづくりじゃ。
……車から、ざいりょうを
おろしてくだされ。」

て 11-08

イチゴのショートケーキの作り方

ようい するざいりょう

（20cmケーキ型 1こ分）

スポンジケーキ

◯たまご	3こ
◯さとう	90g
◯バニラエッセンス	少々
◯小麦粉（はくりき粉）	90g

シロップ

◯さとう	20g
◯水	40cc
◯あれば　洋酒（コアントローなど）	小さじ1

ホイップクリーム

◯生クリーム	400cc
◯さとう	50g
◯あれば　洋酒（コアントローなど）	大さじ2
◯イチゴ	1パック

じゅんび

1 ケーキ型にあわせて、オーブン用ペーパーを切って（円と　細長い長方形になる）、うちがわに　ぴったりと　はりつけます。

＊または、型に　バターを　うすく　ぬり、小麦粉を　うすく　ふりかけておきます。

2 ボウルより　ひとまわり大きいなべに、おゆをわかしておきます。

3 オーブンを180度に　あたためはじめます。

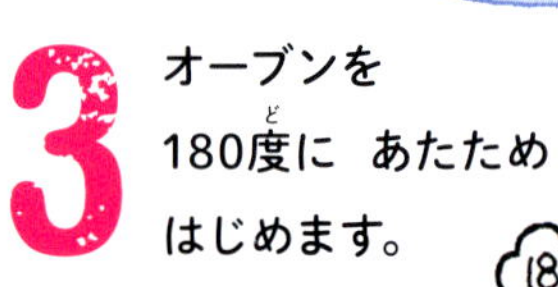

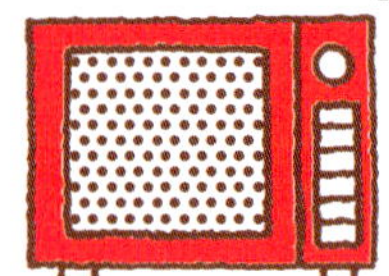

やきます

4 ボウルに　たまご、さとうを　入れ、あわだてきで　よくかきまぜてほぐします。

5 2の　なべの上に、4の　ボウルをおいて、ゆせんにかけながらあわだてます。

＊ボウルが　あつくなるので
やけどにちゅうい！
なべつかみを　つかいましょう。
ねつにつよいそざいのボウルを　つかいましょう。

6 人はだくらいに　あたたまったら、ゆせんから　はずします。あわだてきで生地を　もちあげて、とぎれずに『の』の字が　かけるようになるまで、あわだてつづけます。

＊電動あわだてきを　つかうと　らく！

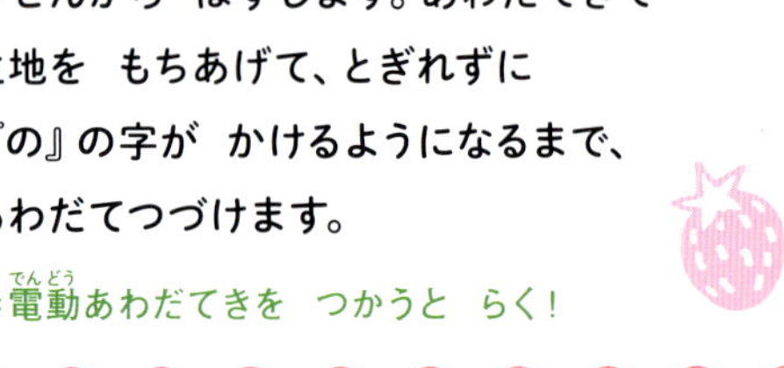

7 バニラエッセンスを　くわえ、小麦粉を
ふるって　入れ、ゴムべらで
切るようなつもりで、サックリと
まぜあわせます。せっかくふくらんだ
あわを　つぶさないように！

8 じゅんびした型に、生地を
ながし入れ、台の上に、型を
かるくトンと　おとして、
中の空気を　ぬきます。

30分

かざりつけをします――

9 オーブンに　入れて、
30分ほど　やきます。
そのあいだ　ぜったいに
ドアを　あけないこと！
やきあがったら、
型から　出して、
あみの上に　のせて
かんぜんに　さまします。

10 水と　さとうを
にたててから、さまして、
洋酒を　くわえ、
シロップを　作っておきます。

11 かざり用のイチゴを　べつにわけ、
のこりを　中に　つめやすいように、
2〜3まいに　スライスしておきます。

12 生クリームに　さとうを　入れ、
あわだてきで　8分だて
（もちあげて、とろりと
ながれおちるくらい）に
あわだてて、
ホイップクリームを
作ります。
あわだてすぎて、
ぽろぽろに
ならないように！

13 スポンジケーキを、
よこに2つに　切りわけて、
切り口の上下に、シロップを
はけで　たっぷり　ぬります。

14 下のスポンジに　ホイップクリームを　ぬり、
スライスしたイチゴを　すきまなく　ならべます。
その上を、さらに　ホイップクリームで
おおってから、上のスポンジを
のせて　かるく　おさえます。

15 ぜんたいに　シロップを
ぬってから、ホイップクリームで
おおいます。

16 のこりのホイップクリームを　しぼり出しぶくろに
つめて　表面に　すきな形に　しぼり出し、
イチゴを　かざって　できあがり！

＊冷蔵庫で　ひやしてから、たべましょう。

フルーツ たっぷり！

スコップショートケーキの作り方

1

生クリームに さとうを 入れて、
8分だてくらいに あわだてて、
冷蔵庫(れいぞうこ)で ひやします。

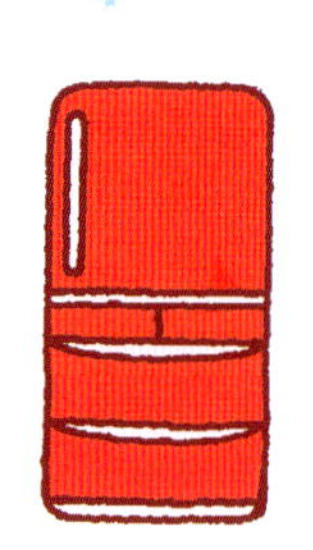

2

フルーツを 切ります。
イチゴは ヘタを
とって はんぶんに。
バナナ、キウイ、
オレンジは、
皮を むいて
わぎりに。

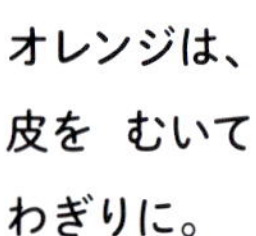

ようい する ざいりょう

（8〜10人分）

○生クリーム	400g
○さとう（グラニューとう）	40g
○フィンガービスケット（すきな ビスケットで）	30本
○ぎゅうにゅう	200ml

おこのみのフルーツ

○イチゴ	1パック
○バナナ	3本
○キウイ	2こ
○オレンジ	1こ など

3

ふかさ5cmくらいの
バット、または おさらを
よういします。
ビスケットを
ぎゅうにゅうに
ひたして
しみこませて、
ならべます。

4

ビスケットの上に
ひやしておいた
生クリームを
はんぶん 入れて、
平らに ならします。

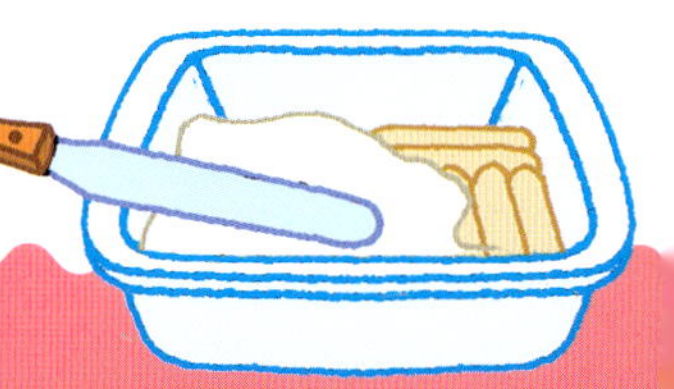

5 生クリームの上に、フルーツを
かさならないように　ならべます。

＊ケーキの上に
かざる分を
のこして
おきましょう！

6 フルーツの上に　さらに　ぎゅうにゅうを
しみこませたビスケットを　ならべます。

7 のこりの
生クリームを
のせて
平らに　ならします。

8 さいごに、フルーツを
かざって、
できあがりです！

＊もういちど
ひやして、
おちつかせてから
たべましょう。

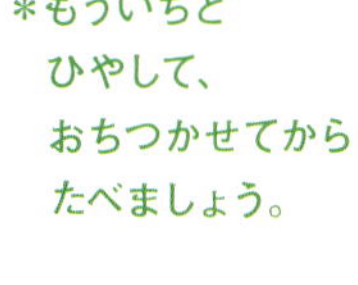

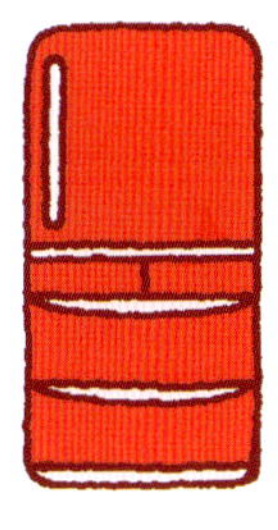

＊ほうちょうで　切り分けるのではなく、
大きなスプーンなどで　ざっくりと
分けて　いただきます。

ホイップ　イップ　イップ
あわだてろ
とろーり　とろ　たら
ホイ　オーケー
あわだてすぎると
ポロップ　ポロポリ

わかったさんの
クレープ

ひどい雨の中、わかったさんは大声でよばれ、じゅうたんをわたされた。
魔女、オオカミ、小人など、むかし話のとうじょうじんぶつが、
つぎつぎとあらわれて、クレープの作りかたをおしえてくれるが…

そこに、ふるぼけた、
きたならしいじゅうたんが一まい。
わかったさんは、
「これ、せんたくするんですか？」
とききました。

「まるで、シンデレラだわ。
……ゆめみたい。もしかすると、わたし、
王子さまのところに、いくのかな？」
わかったさんは、
きもちよくゆれるばしゃの中で、
うっとりしていました。

まんまる なめらか

クレープの作り方

じゅんび

1 小麦粉(こむぎこ)は、ふるいにかけておきます。

2 バターは、小さななべなどに 入れ、そのまま、ひとまわり大きななべにおゆを わかしたものに かさねて、ゆせんで とかしておきます。

生地を 作ります

3 ボウルに たまごをわり入れて、あわだてきでよく まぜます。

4 しお、さとう、ふるっておいた小麦粉の じゅんにくわえて、あわだてきでよく まぜあわせます。

ようい するざいりょう
(直径(ちょっけい)15cmで やく20まい分)

○たまご	2こ
○しお	ひとつまみ
○さとう	20g
○小麦粉(はくりき粉)	125g
○バター	50g
○ぎゅうにゅう	250cc

5 とかしバターを 入れ、ぎゅうにゅうを 少しずつくわえて のばし、30分〜1時間 おいて、生地を なじませます。

やきます——

6 油がなじんだフライパンを、
中火よりもやや弱めの
火に　かけます。

7 バターを　うすく　まんべんなく
ぬってから、フライパンを
火から　はずし、
お玉にはんぶんくらいの
生地を　ながし入れます。
すばやく　フライパンを
まわすようにして、
ぜんたいに
ひろげてから、
もういちど　火に　かけます。

8 生地が　プチプチと　もちあがって、
まわりが　やけてきたら、
火から　はずして　うらがえします。

＊うらがえすときは、フライがえしを　つかうか、
はしを　まわりから　入れて、しずかに
もちあげて
うらがえします。

9 うらがえしたら、さっと　火を　とおす
ていどに　やいて、
ケーキクーラーなどの
あみの上に
とります。

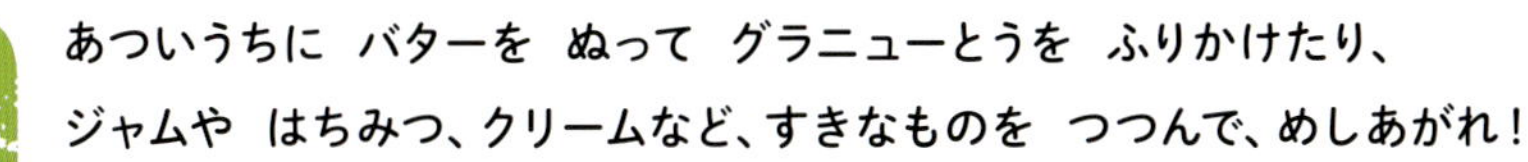

10 あついうちに　バターを　ぬって　グラニューとうを　ふりかけたり、
ジャムや　はちみつ、クリームなど、すきなものを　つつんで、めしあがれ！

＊4つおりにして　手にもって　たべても　いいし、
つつみ方を　くふうして、
おさらに　もりつけても　きれい。

ふわっと はるの かおり

さくらもちの作り方

この クレープのような さくらもちは、
「かんとう風」とよばれています。

じゅんび——

1 さくらの葉のしおづけは、
10分間くらい 水に さらして しおを ぬき、
じくを 切ります。水を きって、
クッキングペーパーに はさみ、
しっかりと 水分を とりのぞきます。

2 あんこは 25gずつに
分けて、たわらの形に
まるめておきます。

生地を 作ります——

3 ボウルに あんこいがいのざいりょうを
すべて 入れて、ダマが
できないように
まぜあわせます。

＊食用しきそ（着色料）は、
商品によって
色のこさが ちがうので、
まずは ほんの少しだけ 入れて
ようすをみましょう。

やきます——

＊ホットプレートを 170度に あたためます。
フライパンで やくときは 弱火で。

4 大さじ2はいくらいの生地を
ホットプレートの上で うすく
のばします。表面（ひょうめん）が かわいたら
うらがえして、りょう面を
やいていきます。

さくらもちの生地が　やけたら、
かさならないように
おさらに　ならべておきます。

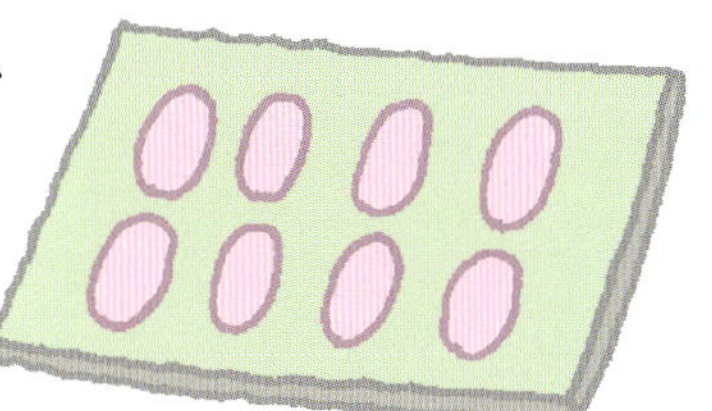

しあげます——

やくときに　さいしょに下にしていた面が　平らになっています。
そっちの面を　表にして、あんこを　つつみます。

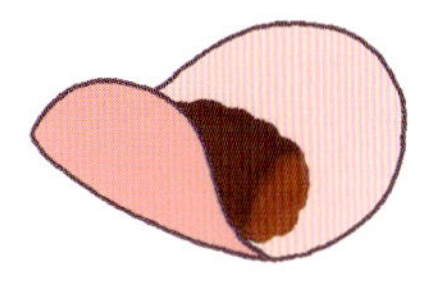

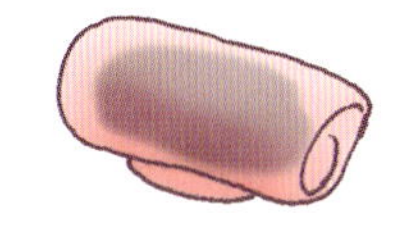

さくらの葉を　まいて、かんせいです。
かおりのよい、さくらの葉ごと
めしあがれ！

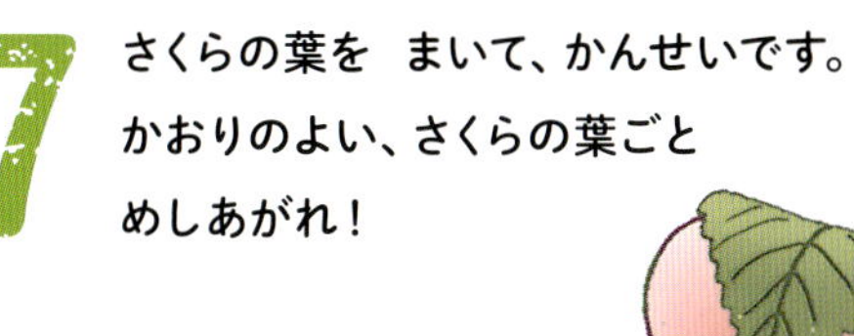

ようい するざいりょう
（16こ分）

○小麦粉（はくりき粉）　85g
○白玉粉（粉のもの）　15g
○さとう（上白とう）　15g
○水　180ml
○食用しきそ（赤）　ほんの少し
○あんこ　400g
○さくらの葉のしおづけ　16まい

クレープ　クレープ　クックック
クレープ　やいたら　おたのしみ
ジャムや　はちみつ　クリームを
つつみ　つつもう　つつめば　つつめ
つつんで　たべれば　おたのしみ

わかったさんの
マドレーヌ

大きなあやしいふねによばれ、たくさんのようふくをわたされた。

せんたくしてかえした、わかったさんがきいたのは、

マドレーヌというひめの、「ケーキがつくりたい」というねがい…

「やだあ、さっきの
かいぞくせんだわ。」
それが、なんと、
マドレーヌ号だったのです。

小麦粉と　ベーキングパウダーは
まぜて　こしきで　キンショキショキ

バターは　かたいままでは　だめよ
おゆで　あたため　トロリネトトト

ふんわり あまい

マドレーヌの作り方

フランスでは、マドレーヌのことを
『小さな かいがら』とも よびます。

ようい する ざいりょう

（10〜12こ分）

◯たまご	2こ
◯さとう	70g
◯小麦粉（はくりき粉）	90g
◯ベーキングパウダー	小さじ1/2強
◯レモンエッセンス	2〜3てき
◯バター	90g
◯はちみつ	10g

じゅんび

1 マドレーヌの型には、
（ア）1まいのいたに
6〜8この かいがらの形を
つけた 金属製のものと、
（イ）かみや アルミで カップケーキ型
のように 作ったものが あります。

（ア）

（イ）

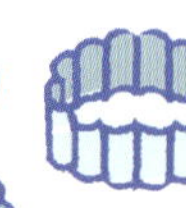

＊（ア）を つかうときは
型に バターを
うすく ぬって、小麦粉を
はたいておきます。

2 小麦粉と ベーキングパウダーを
まぜあわせて ふるいに
かけておきます。

3 バターを
ゆせんで
とかしておきます。

生地を 作ります

4 ボウルに たまごを わり入れて、
かるく ほぐし、さとうを くわえて、
あわだてきで よく かきまぜます。

5 ふるっておいた小麦粉と
ベーキングパウダーを　入れて、
あわだてきで　まぜあわせ、
レモンエッセンスを　くわえて
なじませます。

6 生地が　よく　まじりあったら、
さいごに　とかしバターと
はちみつを　くわえて、
あわだてきで　よく
まぜあわせます。

7 できあがった生地は
冷蔵庫(れいぞうこ)に　入れて
30分ほど
おいておきます。

やきます

オーブンは、180度(ど)に、あたためておきます。

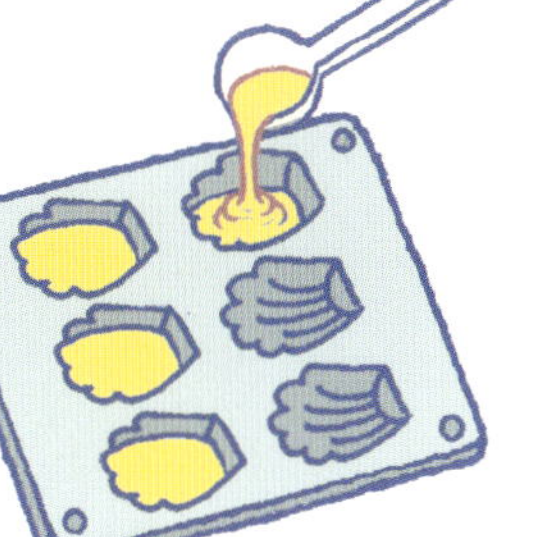

8 よういした型に、生地を
スプーンで　すくって
4分の3の　ふかさまで
入れます。

＊やくと　ふくらむので、
入れすぎないように！

9 オーブンで、
15〜20分　やきます。

10 金属製の型で　やいたときは　あついうちに
ひっくりかえして、型から　はずします。
ケーキクーラーに　のせて
さませば　できあがり。

あまずっぱい レモンのかおり

ウィークエンドシトロンの作り方

マドレーヌに よくにている生地を
パウンド型(がた)で 大きく やきます。

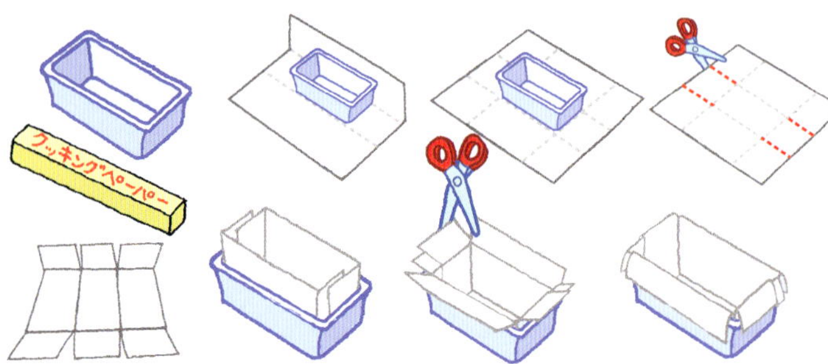

じゅんび

1 パウンドケーキ型に
クッキングペーパーを
しいておきます。オーブンを
180度(ど)に あたためておきます。

2 小麦粉(こむぎこ)と ベーキングパウダーと
アーモンドパウダーを
まぜあわせて ふるいに
かけておきます。

小麦粉
アーモンドパウダー

よういするざいりょう

(18cmのパウンドケーキ型 1本分)

○バター	100g
○グラニューとう	80g
○たまご	2こ
○小麦粉(はくりき粉)	80g
○ベーキングパウダー	2g
○アーモンドパウダー	20g
○レモンの皮のすりおろし	1こ分
○レモンじる	1こ分
○ヨーグルト	30g

かざり用のざいりょう

○粉ざとう	100g
○レモンじる	20ml
○ピスタチオのみじん切り(あれば)	5つぶ分

生地を 作ります

3 バターに さとうを くわえ、
白っぽくなるまで すりまぜます。

バター
さとう

4 べつのボウルに
たまごを わり入れて、
かるく ほぐし、3に
少しずつ くわえ、
そのつど
すりまぜます。

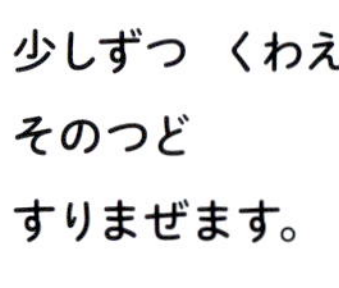

5 ふるっておいた 小麦粉と
ベーキングパウダーと
アーモンドパウダーを 入れて、
ねらないように まぜあわせます。

6 レモンの皮と レモンじる、
ヨーグルトを 入れて、
さっくりと
まぜあわせます。

やきます

7 できあがった生地を 型に 入れます。
オーブンの温度を 170度に 下げて 45分 やきます。

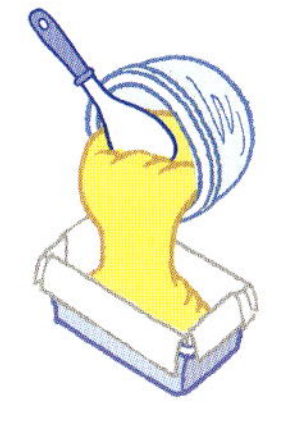

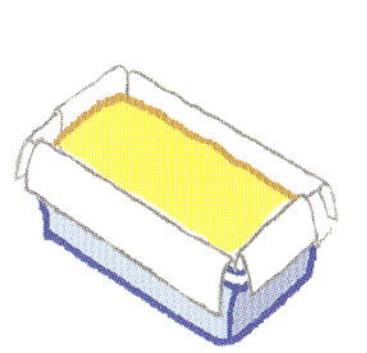

8 やきあがったら、
型からはずして
さまします。

かざりつけを します

9 ケーキが かんぜんに
さめたら、粉ざとうと
レモンじるを
まぜて ぬります。

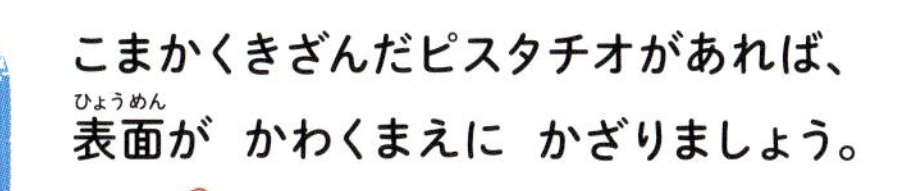

10 こまかくきざんだピスタチオがあれば、
表面が かわくまえに かざりましょう。

手下どもも、みんな大よろこび。
手をうって、おどりだしました。
マドレーヌひめは、
「わたしがつくったケーキだから、
このケーキを『マドレーヌ』と
名づける！」
とさけびました。

……お話のつづきは、

「わかったさんの　おかしシリーズ」で。

寺村輝夫（てらむら てるお）

1928年、東京都生まれ。早稲田大学卒業。文京女子大学（現・文京学院大学）名誉教授。童話や絵本作品を数多く執筆し、毎日出版文化賞、国際アンデルセン国内賞、巌谷小波文芸賞、講談社出版文化賞絵本賞を受賞。こまったさんが活躍する「おはなしりょうりきょうしつ」のほか、「ぼくは王さまシリーズ」「寺村輝夫のとんち話むかし話」「たまごのほん」「くりのきえんのおともだち」『トイレにいっていいですか』『どうぶつえんができた』などを手がける。全集に「寺村輝夫全童話」（全９巻）がある。

永井郁子（ながい いくこ）

1955年、広島県三原市生まれ。多摩美術大学油画科卒業。寺村輝夫とコンビを組んだ作品は「かいぞくポケットシリーズ」など50冊をこえる。そのほかに「きせつのえほんシリーズ」『しろくろつけてよシマウマくん』、茶道の心得を紹介する『サミーとサルルのはじめてのおまっちゃ』「おしゃれさんの茶道はじめて物語シリーズ」などがある。

レシピ＊興膳陽子（P8、P18、P28、P34）
　　　　さわのめぐみ（P10、P20、P30、P40）
ブックデザイン・タイトル＊下山ワタル
ブックデザイン＊小久保美由紀

わかったさんと　おかしをつくろう！ ③
わかったさんの　ふんわりケーキ

2017年9月初版　2025年5月第9刷　　NDC596　44p　22cm
原　文＊寺村輝夫
企画・構成・絵＊永井郁子
発行者＊岡本光晴
発行所＊株式会社あかね書房
　　〒101-0065　東京都千代田区西神田3-2-1　TEL 03-3263-0641（営業）　03-3263-0644（編集）
印刷所＊株式会社精興社
製本所＊株式会社難波製本

ISBN978-4-251-03793-0　https://www.akaneshobo.co.jp

わかったさんの おかしシリーズ

〈全10巻〉

寺村輝夫・作　永井郁子・絵

わかったさんといっしょに
おかし作りのレッスン！
ふしぎで楽しい、童話の世界へ